Valentine's Day

TIP
YOU NEED:

Carnival

TIP
YOU NEED:

Easter

Decorate your bookmarker.

TIP
YOU NEED:

Mother's Day

Decorate your door hanger.

TIP

YOU NEED:

June Festival

Decorate your classroom!

TIP
YOU NEED:

June Festival

TIP
YOU NEED:

Father's Day

CERTIFICATE
World's Best Dad!

Happy Father's Day

To: __________

From: ________

TIP
YOU NEED:

Halloween

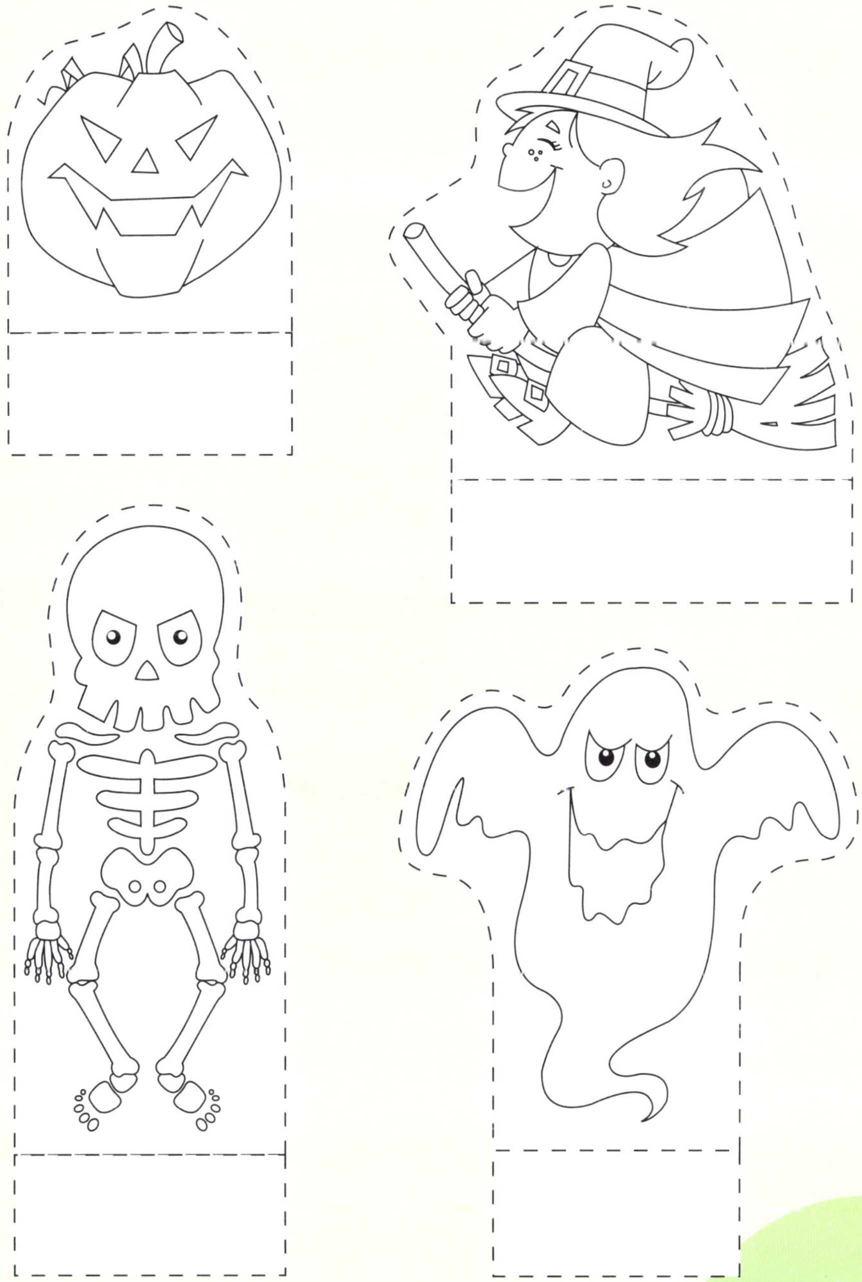

TIP
YOU NEED:

Thanksgiving

TIP
YOU NEED:

I AM THANKFUL FOR

____

____

BY ______________________

Christmas

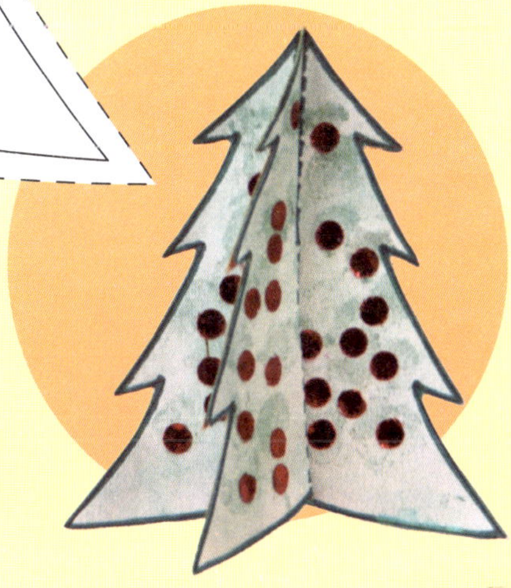

TIP
YOU NEED:

Notes

1. VALENTINE'S DAY

Essa data assemelha-se ao nosso Dia dos Namorados, mas é comemorada no dia 14 de fevereiro. Alguns símbolos do Valentine's Day são o cupido (*cupid*), as cores rosa e vermelho (*pink and red*) e o coração (*heart*).

2. CARNIVAL

Antigamente, o carnaval era chamado de **entrudo** e começou a ser comemorado no Brasil por influência dos portugueses. No começo era uma brincadeira de rua, com batalhas de ovos, farinha de trigo, laranjas. Depois surgiram os desfiles de carros e as batalhas de confetes e serpentinas, até chegarmos no carnaval que conhecemos hoje em dia.

3. EASTER

A Páscoa é uma importante festa cristã que comemora a ressurreição de Jesus Cristo. Outras celebrações relacionadas com a Páscoa são: o Domingo de Ramos (*Palm Sunday*), que celebra a entrada de Jesus em Jerusalém, a Semana Santa (*Holy week*) e a Sexta-feira Santa (*Good Friday*), que relembra a crucificação.

4. MOTHER'S DAY

Há mais de dois mil anos havia na Grécia a celebração mais antiga do Dia das Mães de que se tem notícia: no início da primavera, os gregos costumavam fazer uma festa em homenagem a *Rhea*, esposa de *Cronus* e mãe de *Zeus*, o deus supremo. No Brasil, o Dia das Mães é comemorado no segundo domingo de maio.

5. JUNE FESTIVAL

As festas juninas homenageiam vários santos padroeiros no mês de junho: dia 13 - Santo Antônio, dia 24 - São João e dia 29 - São Paulo e São Pedro.

6. FATHER'S DAY

No Brasil, a idéia de comemorar o Dia dos Pais foi importada pelo publicitário Silvio Behring. A primeira comemoração ocorreu no dia 14 de agosto de 1953. A data escolhida para homenagear os pais é o segundo domingo de agosto.

7. HALLOWEEN

Esculpir rostos engraçados em abóboras, vestir roupas típicas e andar pelos bairros pedindo guloseimas (uma brincadeira chamada *Trick or treat*) estão entre as mais conhecidas tradições do *Halloween*.

8. THANKSGIVING

O costume de celebrar o *Thanksgiving* começou nos Estados Unidos em 1621, para agradecer a abundância da colheita. Em 1789 o presidente dos Estados Unidos, George Washington, transformou essa celebração em feriado nacional. A refeição tradicional do Dia de Ação de Graças (*Thanksgiving*) inclui peru, batata-doce, torta de abóbora e doce de "cranberry".

9. CHRISTMAS

Apesar de sua origem cristã (comemora-se o nascimento de Jesus Cristo), o Natal é muito popular no Brasil, mesmo entre pessoas de outras tradições religiosas. Quando possível, as famílias tentam se reunir e trocar presentes.

Macmillan do Brasil
Rua José Félix de Oliveira 383
Granja Viana - 06708-645 – Cotia, SP, Brasil
Atendimento ao Professor: São Paulo – Capital (0XX11) 4613-2278
Demais localidades: 0800 168877
Fax: (0XX11) 4612-6098
E-mail: elt@macmillan.com.br
Visite nosso website: www.macmillan.com.br

INTERNAL CODE
978-66-7418-149-8
9786674181498